Véhicules
et
engins

Tout un Monde en Photos

L'automobile naît dans la seconde moitié du XIXe siècle. D'abord propulsée par la vapeur, elle sera rapidement équipée d'un moteur à combustion interne fonctionnant au gaz, et plus tard au pétrole.

À l'aube de la Seconde Guerre mondiale, les voitures restent des objets de luxe réservés aux gens aisés. D'abord longues et larges, leur carrosserie plus compacte s'arrondit et leur mécanique s'améliore.

En Europe, dans les années 1950-1960, les pays jadis en guerre se reconstruisent et connaissent une forte croissance économique, qui permet à la voiture de se démocratiser. Comparée aux Américaines, elle se distingue par son moteur de petite et moyenne cylindrée, sa taille et son design modestes.

Aux États-Unis, la période 1950-1960 marque le développement de l'industrie automobile. Habillées de carrosseries aux lignes généreuses et aux chromes rutilants, des millions de voitures de grosse cylindrée envahissent les routes américaines.

8

Comparées à celles de la décennie précédente, les voitures des années 1970-1980 affichent des formes moins arrondies. À cause du choc pétrolier de 1973, leurs dimensions se réduisent pour les rendre moins lourdes et diminuer leur consommation de carburant. C'est l'une des raisons pour lesquelles les constructeurs français généralisent la traction avant au détriment de la propulsion arrière. Ils déclinent néanmoins leurs voitures de séries en différentes versions et dotent certaines d'allures sportives.

11

Une décapotable est une voiture au toit soit ouvrable et escamotable, soit formé d'une capote de toile robuste que l'on peut replier ou rouler. Les décapotables ont existé à tous les âges de l'automobile.

Plus souvent destinées à la ville qu'aux circuits, les voitures de sport bénéficient d'un design soigné. Jantes et pneus larges, déflecteurs et pare-chocs profilés contribuent à leur aspect sportif.

Au cours des années 2000, tandis que les constructeurs continuent de créer de nouvelles voitures au design innovant, certaines marques modernisent des modèles historiques jouissant d'un fort capital sympathie.

Chaque année, de prestigieux salons ont lieu pour présenter les nouvelles voitures bientôt sur le marché. On y montre aussi des prototypes, dont les modèles ne seront pas toujours commercialisés.

TAURUS

Les salons sont toujours l'occasion pour les constructeurs automobiles de montrer leurs dernières innovations technologiques. Ces dernières années, elles sont tout particulièrement motivées par le souci de sécurité et la préoccupation de l'environnement. Les voitures sont de plus en plus équipées d'instruments d'aide à la conduite, comme par exemple les régulateurs de vitesse, les détecteurs d'obstacles, les avertisseurs de déviation de trajectoire, etc. Comme elles doivent consommer le moins de carburant possible, beaucoup de leurs innovations se cachent aussi sous le capot !

La Formule 1 est un sport automobile pratiqué avec des voitures très aérodynamiques, dotées d'un puissant moteur et d'une technologie sophistiquée. Le record officiel de vitesse est de 397,48 km/h.

Caractérisées par leur forme compacte et particulièrement aérodynamique, les voitures de sport sont en principe conçues pour atteindre des performances de vitesse sur circuit. La plupart cependant ne verront que la route ! Les marques les plus prestigieuses commercialisent leurs modèles à seulement quelques dizaines d'exemplaires. Mais beaucoup de constructeurs généralistes proposent des modèles de séries dans leur gamme, à des tarifs plus raisonnables.

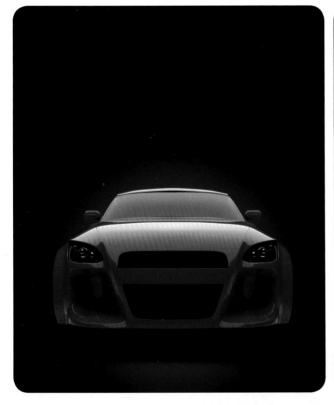

Le design automobile consiste à réaliser des dessins, maquettes et prototypes de toute nouvelle voiture avant sa commercialisation. Cela permet de valider la faisabilité du projet et de l'améliorer.

Afin de réduire les rejets de gaz à effet de serre, il existe désormais des voitures électriques, rechargeables à l'aide d'une prise, et des voitures hybrides associant électricité et essence pour parcourir de plus longues distances.

29

31

Le premier prototype de ce drôle de vélo à moteur, familièrement appelé Solex, date de 1940. Reconnaissable entre tous avec son moteur au-dessus de la roue avant, il allait à environ 25 km/h.

L'origine de la moto pourrait bien être un deux-roues à vapeur, apparu en France vers 1870. À moins que ce soit celui avec moteur à explosion, mis au point en Allemagne quinze ans plus tard. Dans les décennies suivantes, des marques de motos aujourd'hui disparues naissent partout en Europe.

33

Moins chère qu'une voiture, plus rapide qu'un vélo, la moto fut populaire dès le début du XXᵉ siècle. Elle déclina dans les années 1960, mais regagna les faveurs du public, en partie grâce aux marques japonaises venues proposer des engins innovants.

Les motos sportives sont généralement des déclinaisons de modèles de compétition. Capables de dépasser 250 km/h, elles bénéficient d'un niveau élevé de technologie et de performance. Il est naturellement possible de les conduire sur route en respectant la réglementation, mais c'est sur circuit et en compétition qu'elles révèlent toutes leurs possibilités aux amateurs de vitesse. Renforcée par la présence du carénage et d'un déflecteur, leur conception aérodynamique oblige le pilote à une position couchée vers l'avant de l'engin. Cela limite la prise au vent et contribue à aller plus vite.

Les Grands Prix de vitesse à moto se courent sur circuits, avec des engins qui sont en fait des prototypes spécialement mis au point pour la compétition.

Le trial est un sport consistant à franchir en moto des obstacles de tous types. Trial désigne aussi le deux-roues très maniable avec lequel on pratique cette activité. Cette moto se distingue notamment par sa taille modeste, sa légèreté, l'absence de selle et des pneus à crampons.

43

Pratiqué avec une moto
tout-terrain, l'enduro est à
la fois un loisir et un sport.
En compétition, c'est une course
d'endurance à réaliser selon
un itinéraire défini et en un
temps limité.

Le moto-cross est une course de vitesse, qui a lieu sur un circuit très accidenté, où les motos et les pilotes sont mis à rude épreuve. Certains exécutent même de périlleuses figures de freestyle. Les pilotes se protègent des chutes grâce à un équipement renforcé.

49

L'armée a depuis longtemps intégré la moto parmi ses véhicules de soutien et d'intervention. Elle exploitait aussi des side-cars et des tricycles, mais l'usage de ces derniers s'est perdu.

Créée en 1903 aux États-Unis, la firme Harley Davidson a su produire au fil du temps des motos originales et devenir l'un des symboles de l'Amérique. Qu'il s'agisse de customs, de choppers ou de trikes, les « Harley » sont plutôt destinées à la croisière sur route. Pour leur pilote (les bikers), les performances de ces engins sont souvent moins importantes que leur apparence rehaussée de chromes rutilants. Ces motos font l'objet d'un véritable culte, et réunissent leurs adeptes lors de grands rassemblements.

51

Souvent peints de motifs personnalisés originaux, les customs et les choppers sont des routières tranquilles, notamment caractérisées par leur selle basse, leur guidon haut et leur conduite les pieds en avant.

Les motos de la police nationale et de la gendarmerie sont le plus souvent des routières de grosse cylindrée. Mais certaines missions acceptent des engins moins puissants, ou nécessitent au contraire de rapides sportives.

Aujourd'hui abandonnés ou exposés dans les musées, les véhicules de pompiers de la première moitié du XXe siècle possédaient déjà de nombreux équipements – grande échelle, pompe, tuyaux et autres – sans cesse perfectionnés au fil du temps.

57

Les pompiers disposent de plusieurs sortes de véhicules. Pour lutter contre le feu, le fourgon d'incendie est équipé d'une réserve d'eau, d'une pompe, de tuyaux et de lances. La grande échelle permet d'intervenir dans les étages des bâtiments pour récupérer des personnes coincées, acheminer les sauveteurs ou arroser le feu depuis l'extérieur. Il y a également des véhicules remplis de matériel de secours, d'éclairage, de ventilation, d'aspiration...

Un crash tender est un véhicule de lutte contre les incendies dans les aéroports. Il est spécialement conçu pour intervenir auprès des avions en difficulté.

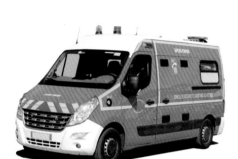

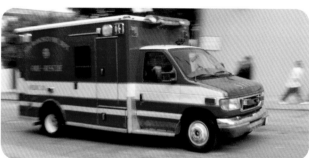

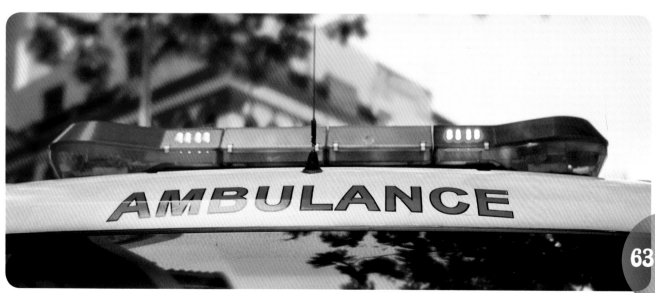

L'ambulance est un véhicule spécialement aménagé et équipé pour transporter des malades, des blessés ou des femmes prêtes à accoucher, vers un hôpital, une clinique ou un centre de soins spécialisé.

65

Les dépanneuses servent à remorquer ou à transporter les véhicules en panne ou accidentés. Pour cela elles sont spécialement équipées d'une grue de levage, d'un plateau ou d'un panier.

En France, on identifie les voitures de police à leurs couleurs bleu blanc rouge, comme celles du drapeau national, et à l'inscription « POLICE » en grosses lettres. Les policiers peuvent aussi utiliser des voitures banalisées. Dans ce cas, ils utilisent un petit gyrophare aimanté qu'ils fixent sur le toit de la voiture et font retentir une sirène.

67

À New York, aux États-Unis, les policiers sont équipés de véhicules spécifiques (quads, voiturettes, fourgons...) pouvant se faufiler partout et qui sont adaptés à chaque situation.

69

Les véhicules de surveillance des plages doivent pouvoir se déplacer dans le sable pour intervenir rapidement et transporter des équipements pour secourir les baigneurs en difficulté.

73

La motomarine, ou scooter des mers, est un engin léger et puissant, très utile aux surveillants de plage. Selon les modèles, il se conduit debout ou assis et permet de se rendre rapidement sur une intervention.

Pour lutter contre les incendies sur des navires en mer et dans les ports, les bateaux-pompes sont munis de centaines de mètres de tuyaux et de canons capables d'écouler des dizaines de milliers de litres d'eau par minute.

77

En montagne, dans les sites isolés, l'hélicoptère est souvent le seul moyen de secourir les personnes en détresse. S'il ne peut se poser, les victimes sont hélitreuillées à l'aide d'un câble.

Propulsée sur des skis, la motoneige est idéale pour se déplacer sur la neige et sur la glace. C'est le véhicule d'urgence par excellence pour le secours en montagne grâce à sa maniabilité et à sa puissance. Mais le skieur reste toujours indispensable pour les secours sur les pistes.

Parfois, dans les zones de guerre ou de catastrophe naturelle, l'évacuation des personnes blessées ou malades est assurée par des hélicoptères, des avions, des ambulances et même des bateaux de la Croix-Rouge. Cette organisation est reconnaissable à la croix rouge qui apparaît sur chaque véhicule.

83

Construire une autoroute, un pont, une voie ferrée, une zone commerciale ou industrielle, ou exploiter une mine implique d'immenses travaux nécessitant des engins puissants spécialement outillés.

Le camion-benne est adapté au transport de matériaux divers, comme par exemple de la terre ou des déblais. La benne est remplie grâce à une pelleteuse, puis vidée de son contenu en basculant.

85

Également appelé camion toupie, le camion malaxeur transporte du béton frais. En faisant tourner son réservoir incliné, il en préserve la bonne consistance. Il est aussi équipé d'un entonnoir pour remplir la cuve, de tuyaux pour faire couler le béton où il faut, et d'une réserve d'eau pour nettoyer la toupie.

89

De son vrai nom chargeuse-pelleteuse, la tractopelle est munie d'une pelle articulée à l'arrière et d'un chargeur à l'avant. Elle sert aux travaux de démolition et au chargement des gravats.

Quasiment tout-terrain avec ses roues énormes, la chargeuse sur pneus est dotée d'une benne de grande contenance. Aussi nommée « godet », cette benne articulée permet de charger des camions. On l'emploie également pour déplacer d'importantes quantités de matériaux variés et de terre.

91

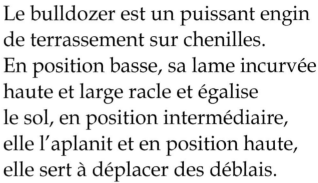

Le bulldozer est un puissant engin de terrassement sur chenilles. En position basse, sa lame incurvée haute et large racle et égalise le sol, en position intermédiaire, elle l'aplanit et en position haute, elle sert à déplacer des déblais. La lame est parfois remplacée par un godet.

92

La pelleteuse creuse, déblaye et terrasse. Généralement montée sur chenilles, elle possède un godet à dents à l'extrémité d'un bras articulé. Pour que l'engin soit plus maniable, la cabine fait un tour complet sur elle-même.

95

99

Construire, rénover ou élargir une autoroute ou une simple départementale mobilise toutes sortes de machines et d'engins spéciaux ayant chacun une fonction et une mission bien déterminées.

Le rouleau compresseur à roues est lesté pour être plus lourd. Ses pneus sont lisses pour damer plus efficacement le terrain.

Une grue est un appareil de très grande dimension, servant à soulever et à déplacer des charges pesant jusqu'à plusieurs centaines de tonnes. Il en existe différentes sortes selon leur usage.

Capables de transporter d'énormes volumes de matériaux,
les tombereaux sont des camions géants spécialement conçus pour
travailler dans les mines, les carrières et les chantiers de travaux publics.

L'excavateur à roue-pelle est le plus gros de tous les engins de chantier. Sa roue à godets tourne pour creuser le sol. Les matériaux qui remplissent les godets sont ensuite vidés sur un tapis roulant, qui les transporte vers un point de décharge.

Avant l'invention du tracteur et autres engins mécaniques à usage agricole, on utilisait la force des chevaux et des bœufs pour les travaux des champs.

Généralement doté de quatre roues motrices, le tracteur agricole assure depuis toujours de multiples fonctions. Il tracte des remorques ou des machines destinées à des tâches particulières telles que labourer, pulvériser des engrais, épandre du fumier... Il sert aussi de support à des outils comme par exemple des fourches ou des charrues.

Loin des véhicules perfectionnés d'aujourd'hui avec électronique embarquée et cabine de pilotage confortable, les tracteurs anciens étaient plutôt rudimentaires.

La première moissonneuse est une invention américaine de 1834. De nombreuses innovations techniques en ont depuis fait une machine agricole très perfectionnée, équipée de systèmes de commande, de contrôle et de guidage, permettant une récolte rapide et précise des céréales.

Malgré de grosses capacités de contenance, les moissonneuses doivent régulièrement vider leur trémie (réservoir) durant la récolte. Une benne remorquée par un tracteur n'est donc jamais bien loin !

Le rouleau agricole présente différentes formes selon sa fonction. Le plus courant est garni de petites dents crénelées. Il permet, entre autres, de briser les mottes de terre pour lisser le terrain, mais aussi de préparer le sol pour semer les cultures. Il sert à tasser la terre sur les graines, comme celle du maïs, pour assurer un bon contact et réduire leur dessèchement.

117

On arrose souvent le maïs à l'aide de canons à eau ou d'immenses rampes d'arrosage, mais il est aussi possible et plus écologique d'apporter l'eau au pied des plants par un système de goutte à goutte.

121

Pour la litière des animaux de la ferme, on fabrique des bottes de paille à partir de tout ce que l'on ne consomme pas dans les céréales. Le foin, de l'herbe coupée et séchée, est utilisé pour leur alimentation.

Pour rassembler la paille ou le foin, éparpillés dans les champs après les récoltes, on emploie un andaineur. En faisant tourner ses râteaux, cette machine forme des tas en longueur appelés andains. Ces andains sont ensuite ramassés par d'autres machines, puis ils sont compactés sous forme de bottes. Certains andaineurs possèdent plus d'une quinzaine de râteaux.

Pour transporter, stocker et manipuler plus facilement la paille ou le foin, on en fait des bottes rectangulaires ou rondes, grâce à une machine appelée presse haute densité.

124

Le maraîchage est la culture des fruits et des légumes. Lorsqu'il est effectué sur de vastes surfaces, il nécessite l'emploi de tracteurs, notamment pour décompacter et aérer la terre, bêcher, labourer, semer, fertiliser, récolter.

127

Pour répandre des engrais, on équipe les tracteurs d'une large rampe, dont les pendillards (petits tuyaux pulvérisateurs) peuvent être de différentes dimensions.

L'immense superficie de la plupart des exploitations agricoles ne permet plus de semer à main d'homme. On utilise désormais des semoirs. Ces grosses machines sèment les graines rapidement, à la profondeur souhaitée, en rangs réguliers et avec un espacement constant. Certaines sont dotées d'un petit réservoir pour chaque rang de plantation, tandis que d'autres possèdent une seule grande trémie, d'où partent les graines pour être mises en terre de la même façon.

129

Il existe des machines à vendanger servant uniquement à récolter le raisin, mais d'autres sont conçues pour assurer des opérations différentes. Elles peuvent ainsi être utilisées en dehors des périodes de récolte. On démonte certains de leurs équipements spécifiques pour les remplacer par d'autres.
La machine peut alors servir à la taille des vignes et à la pulvérisation d'engrais.

131

Dans les régions enneigées l'hiver, les tracteurs peuvent être équipés d'une saleuse pour saler les routes, ou d'un chasse-neige pour les dégager.

133

La première locomotive à vapeur apparaît dans le sud de l'Angleterre en 1804. Elle ne dépasse pas 9 km/h. Il faudra attendre encore une vingtaine d'années de recherches et d'essais pour voir les premiers trains circuler régulièrement.

La locomotive diesel a été inventée en Allemagne au début du XXᵉ siècle. La plupart des moteurs diesel servent en fait à entraîner des moteurs électriques qui font tourner les roues de la locomotive.

137

Les locomotives propulsées par l'électricité sont équipées d'un pantographe. C'est une sorte de bras articulé fixé sur le toit de l'engin, qui lui permet, par contact, de capter le courant électrique en circulation dans les caténaires.

141

Les trains à grande vitesse se caractérisent par leur forme très aérodynamique pour mieux fendre l'air. Ils nécessitent la construction de voies ferrées spéciales, mais font gagner tellement de temps que plusieurs pays s'en sont déjà équipés.

143

C'est au Japon en 1964 que fut inauguré le premier train à grande vitesse du monde, le Shinkansen. Il allait déjà à 240 km/h.

En 1981, la France fut le deuxième pays au monde à se doter d'un train à grande vitesse. Malgré un record de vitesse en 2007 à presque 575 km/h, il ne dépasse pas 300 km/h en moyenne sur les portions de voies rapides.

La plupart des monorails récents se déplacent grâce à des moteurs électriques, mais certains fonctionnent encore au diesel. Les monorails circulent généralement en hauteur sur des ponts spéciaux.

Certains trains se déplacent par sustentation magnétique. Cela signifie que de puissants aimants fixés sur la voie et aux véhicules interagissent pour soulever le train, qui ne repose alors plus sur les rails. Il peut ainsi aller plus vite.

149

Le monorail suspendu fonctionne selon un principe comparable à celui du téléphérique, mais il est guidé le long d'un rail et non d'un câble.

Les trains à crémaillère roulent sur des voies à trois rails. Celui du milieu est denté pour qu'une, ou plusieurs roues, du train s'y introduise. Ce système d'engrenage permet de gravir des pentes raides que ne pourraient pas franchir les autres trains.

152

154

Le métro est un type de train électrique, qui circule sous terre. Il est l'un des moyens les plus rapides pour circuler dans les grandes villes. Ses passages sont très fréquents, ce qui permet de faire voyager un grand nombre de personnes.

Présent dans beaucoup de grandes villes, le tramway est un moyen de transport généralement électrique. Mais à San Francisco aux États-Unis, ceux qui transportent les touristes sont encore tractés par un câble, comme avant.

Des trains de pays lointains empruntent des trajets périlleux à travers de spectaculaires paysages. Certains circulent sur de fragiles viaducs à flanc de montagne, d'autres traversent des villes et des villages au milieu des piétons.

De tout temps, pour se déplacer sur l'eau, les hommes ont utilisé les ressources qu'ils avaient à leur disposition. Grâce aux troncs des arbres, ils ont creusé des pirogues ou construit des radeaux.

161

Le bateau a été un formidable outil pour les explorateurs. Christophe Colomb, par exemple, utilisa trois caraques pour partir vers les Indes en 1492. Les territoires qui ont été découverts par les grands navigateurs ont changé la perception du monde.

Les galions commencèrent
à sillonner les océans dès
le début du XVIe siècle.
Ils étaient régulièrement
la cible des pirates qui
voulaient s'emparer de leurs
précieuses marchandises.

167

Le gréement est tout ce qui se trouve sur le pont et qui permet de faire avancer le bateau : les mâts, les vergues (supports des voiles perpendiculaires aux mâts), les cordages et filins, les poulies, les voiles...

Sans comparaison avec les capacités d'un paquebot, le plus grand voilier de croisière du monde accueille près de 230 passagers, mesure 134 m de long et possède cinq mâts pouvant soutenir une trentaine de voiles. C'est le *Clipper Royal,* une réplique d'un navire du XIXᵉ siècle .

169

On définit les différents types de bateaux de pêche par ce qu'ils pêchent et comment ils le pêchent. De la barque au chalutier, ils sillonnent les océans et les mers à la recherche de poissons.

Les chalutiers partent en pleine mer pour pêcher des poissons ou des crustacés. La pêche est contrôlée par des quotas, c'est-à-dire que les marins-pêcheurs ne peuvent prendre qu'une certaine quantité de poissons à chaque fois.

Les paquebots sont de gigantesques navires de croisière qui sillonnent la haute mer. Ils peuvent accueillir des milliers de passagers, jusqu'à 8 800 pour le plus gros d'entre eux.

L'aéroglisseur est presque un bateau volant ! Il se déplace grâce à des hélices aériennes et glisse sur un coussin d'air très dense. On peut l'utiliser au-dessus de toute surface sans obstacles, comme l'eau, la neige, la glace ou le sable.

Les bateaux-mouches sont dédiés au tourisme sur les fleuves et les rivières qui traversent les villes. Certains bateaux-mouches ont même été transformés en restaurants flottants.

À l'origine, les péniches transportent des marchandises. Certaines atteignent 135 m de long pour une largeur allant jusqu'à 15 m. Bien qu'il existe des péniches de mer, la plupart sont réservées à la navigation sur les fleuves et les canaux. Avant d'être motorisées, elles étaient tirées par des chevaux sur des chemins longeant les cours d'eau, appelés chemins de halage. De nos jours, certaines ont été transformées pour faire des habitations, restaurants, hôtels et discothèques.

181

Dans le monde, environ 80 % des marchandises et des matières premières sont acheminées par bateau. Les très impressionnants porte-conteneurs mesurent de 100 à plus de 400 m de long, et plus de 58 m de large. Dans leur lourde coque de métal, ils peuvent emporter de 500 à 19 000 conteneurs. Ces grosses boîtes renferment toutes sortes de produits, comme par exemple des jouets, de la nourriture ou des machines.

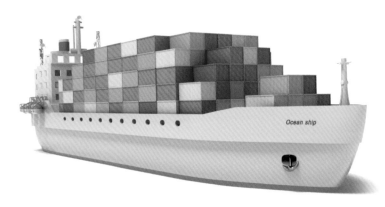

Inventé par les Esquimaux il y a environ 4 000 ans, le kayak était fabriqué à partir de bois et de peaux de phoque. Aujourd'hui, il est en plastique moulé. En mer ou en eau douce, au calme ou dans les torrents, sa pratique est devenue un loisir et un sport très appréciés.

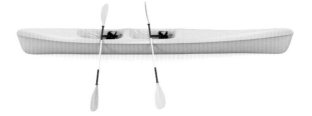

185

se quésto strumento facto
a vite sia bene facta cioè facta di tela lина stoppata stu sua pol
za obo drenando si fa la sua
pa ua velocemente dona
uuia i sua vite nel aria o monta
i alto

À la fin du XVᵉ siècle, Léonard de Vinci dessine ce qui sera plus tard l'hélicoptère. Le 13 novembre 1907 seulement, Paul Cornu (mécanicien chez Peugeot) décolle d'environ deux mètres du sol !

Situé au-dessus de l'hélicoptère, le rotor principal est la partie la plus complexe de l'engin. Il soutient de longues et solides pales dont le nombre varie de deux à huit selon les appareils.

À cause de sa forme et de sa technique de vol, l'hélicoptère est délicat à piloter. Les nombreux tableaux de bord et de commandes de son cockpit servent à contrôler tous les paramètres pendant le vol.

191

Une simple plate-forme assez vaste et bien signalée par son marquage au sol suffit à l'atterrissage d'un hélicoptère. De par sa conception il est capable de se poser n'importe où dans un espace de deux fois sa longueur.

193

Afin de se poser sur l'eau, l'hélicoptère peut être équipé de flotteurs. Certains flotteurs sont permanents, mais d'autres ne se gonflent qu'au moment du contact de l'appareil avec l'eau, en quelques secondes, un peu comme des airbags.

194

197

Comme tout le matériel et les véhicules de l'armée, les hélicoptères sont peints avec des motifs et des couleurs précises afin de passer inaperçus lorsqu'ils sont au sol. La « gueule de requin » est une décoration.

Mis au point aux États-Unis au début de l'année 1961, identifiable entre tous grâce à sa longue carlingue et à ses deux rotors en tandem, le Chinook est un hélicoptère militaire de transport lourd.

En service depuis 1972, le MI24 est un hélicoptère de combat russe doté d'un fuselage et de rotors blindés. Il est toujours en service, grâce à ses multiples évolutions techniques.

Le Seahawk est un hélicoptère militaire polyvalent, capable de remplir différentes missions, telles que des opérations de ravitaillement, de sauvetage, de transport de troupes, d'évacuation sanitaire. Il peut également être armé pour le combat aérien, terrestre et sous-marin. Il est plus particulièrement utilisé par la marine des États-Unis. Entré en service au début des années 1980, ses versions modernisées continuent d'intervenir sur le terrain de conflits.

205

Le sauvetage des personnes a surtout lieu pendant les périodes de vacances, quand la fréquentation touristique est élevée. Les hélicoptères servent aussi à ravitailler les refuges d'altitude.

Le sauvetage en mer par hélicoptère est une opération délicate, car l'appareil ne peut pas se poser et la houle complique l'accrochage et l'hélitreuillage de la personne à secourir. Un sauveteur est alors descendu pour aider la victime.

Pour lutter contre les incendies de forêt, l'hélicoptère bombardier d'eau transporte une grande quantité d'eau dans une sorte de seau géant fixé à des filins.

209

Les drones sont des engins volants autonomes ou télécommandés, mais en tout cas sans pilote à bord. La plupart ont la forme d'avions, mais ces dernières années des modèles multirotors (à plusieurs rotors) comparables à des hélicoptères sont apparus. Bien qu'ils aient parfois des usages professionnels, certains sont considérés comme des appareils d'aéromodélisme et peuvent être pilotés depuis un téléphone ou une tablette grâce à une application.

213

L'approche de la Seconde Guerre mondiale fit redoubler d'efforts les avionneurs pour concevoir et construire rapidement de nouveaux modèles d'avions militaires toujours plus performants.

Le Curtiss P-40 est un avion de chasse américain mis en service en 1938. Malgré des performances critiquées, il se révéla robuste, facile d'entretien et assez peu coûteux à produire. Il accomplit de nombreuses missions au cours de la Seconde Guerre mondiale. Dans le même temps, il devint l'avion emblématique des Tigres volants, une escadrille de pilotes américaine basée en Chine, pour participer à la guerre qui opposait ce pays au Japon. C'est probablement pour donner un air menaçant aux appareils et impressionner l'ennemi qu'une gueule de requin était peinte sur leur nez.

Le Chance Vought F4U Corsair est un avion militaire américain mis en service en 1942. Propulsé grâce à sa grande hélice de 3 m de diamètre, il se caractérisait par la forme de ses ailes, repliables sur certains modèles.

Le Lancaster est un bombardier
britannique, qui servit pendant
la Seconde Guerre mondiale.
Sa puissance lui permettait
d'emporter quasiment
l'équivalent de son propre poids
en carburant et en bombes, soit
environ 15 tonnes.

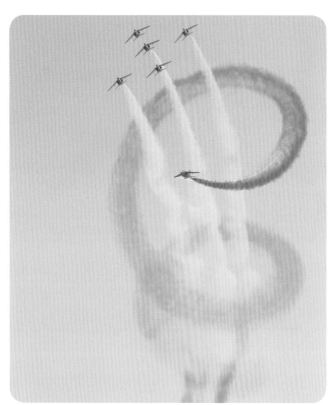

La patrouille de France est une unité de l'armée de l'air spécialisée dans la voltige aérienne. Les pilotes exécutent des formations complexes à plusieurs avions, qui exigent beaucoup d'entraînement et une extrême précision.

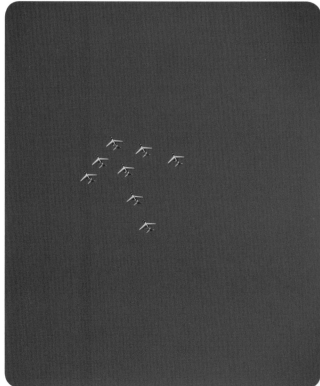

223

Né aux États-Unis et en service depuis 2005, le Raptor est un chasseur furtif conçu pour réduire le risque d'être détecté par les radars ennemis. Son revêtement, par exemple, en absorbe les ondes.

Le Rafale est un avion militaire français polyvalent. Il peut assurer des missions de reconnaissance, d'intimidation, de défense, d'appui de troupes terrestres, de frappe au sol, de lutte navale, de police aérienne, de dissuasion nucléaire et de ravitaillement en vol d'un autre avion de chasse. Opérationnel depuis 2004, le Rafale bénéficie de technologies de pointe, et se révèle faiblement détectable au radar. D'environ 15 m de long pour 11 m d'envergure, il peut atteindre 2 200 km/h et ne nécessite que 450 m pour atterrir sans parachute de freinage.

De conception française, le Mirage 2000 est un avion militaire multifonction. Mis en service en 1984, il subit régulièrement des évolutions pour le maintenir au meilleur niveau de performance. Plus petit que le Rafale, il est néanmoins plus rapide.

227

Mirage F1

D'une envergure de 52 m, le B-2 Spirit est un bombardier furtif en forme d'aile volante. Le F-117 Nighthawk (ci-contre) est un avion d'attaque au sol. À cause de sa forme étrange et de son existence longtemps secrète, il a souvent été pris pour un ovni.

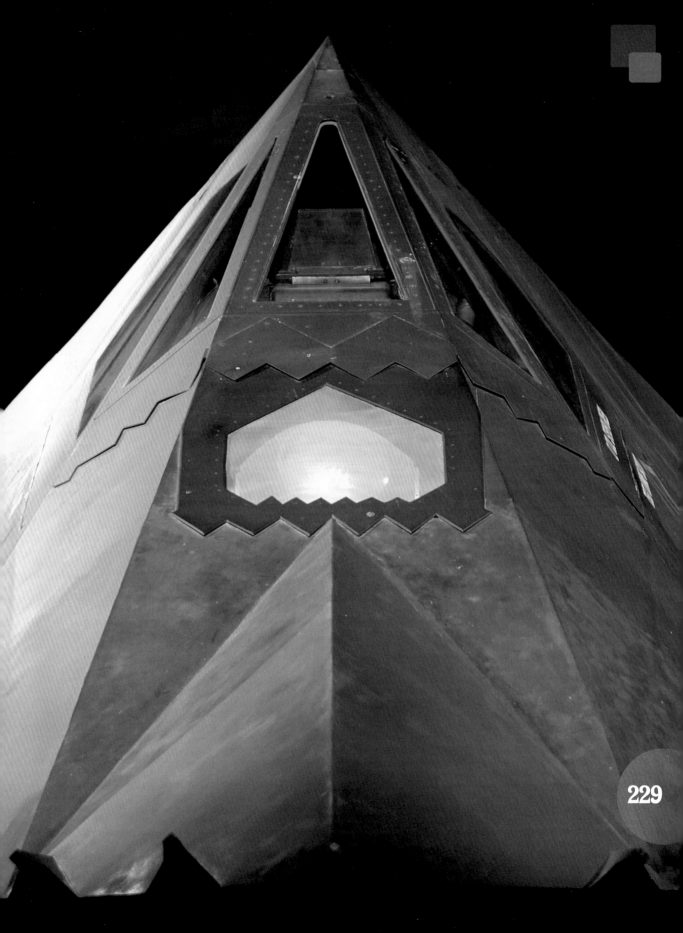

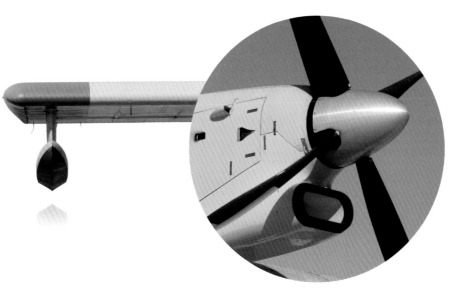

D'origine canadienne, le Canadair est un avion bombardier d'eau de lutte contre les incendies. Il écope l'eau des lacs ou de la mer en volant en rase-mottes avant d'aller la répandre sur le feu.

L'hydravion présente la particularité de pouvoir décoller et se poser sur l'eau, grâce aux flotteurs qui remplacent son train d'atterrissage, et lui permettent de déjauger, c'est-à-dire de s'élever au-dessus de l'eau sous l'effet de la vitesse.

Le Concorde était l'avion de ligne
le plus rapide du monde, capable
d'atteindre 18 000 m d'altitude
à 2 145 km/h en croisière. Il
inspira le Tupolev 144, aux
performances comparables, mais
dont l'exploitation cessa suite à de
nombreux accidents.

La société américaine Boeing est le premier constructeur d'avions au monde. Transportant jusqu'à 524 passagers, son mythique 747 était le plus gros avion de ligne avant l'arrivée de l'Airbus A380.

L'envergure des ailes de l'Airbus A380 atteint près de 80 m, son fuselage 73 m de long et un peu plus de 7 m de large. Cet avion hors normes peut transporter de 525 à plus de 850 passagers, selon la configuration de sa cabine à deux niveaux.